COURTEPOINTES

TEXTES — 1

Gaston Miron

COURTEPOINTES

Quatrième mille

PUBLICATION DU DÉPARTEMENT
DES LETTRES FRANÇAISES
ÉDITIONS DE L'UNIVERSITÉ D'OTTAWA
1975

Collection publiée
sous la direction de Eugène Roberto

©Éditions de l'Université d'Ottawa, 1975.
ISBN-0-7766-4181-6

NOTE

Dans cette collection, sont publiés des *textes* d'écrivains qui ont résidé au département des lettres françaises de l'Université d'Ottawa. Sceau, jalon, source. Ces textes scellent des relations amicales et des échanges fructueux qui se sont formés dans notre groupe universitaire. Ils marquent, comme d'une stèle, de multiples itinéraires. Ils maintiennent, dans le temps, une présence où s'abreuvent les désirs de lire et de relire, de penser et de vivre.

AVANT-PROPOS

Oui, ce ne sont que retailles et courtepointes. Non pas encore une œuvre poétique. Miron est un poète.

Il est avec nous. Il vit. Il contemple la terre. Il voit le soleil. Il respire dans le vent. Il regarde l'étoile. Il épouse l'épaulement de la montagne. Il caresse l'écorce de l'arbre. Il marche dans la neige. Il écoute le cri de l'oiseau et la parole de l'homme. Exalté, ou pris par la pesanteur, ou foudroyé, il apparaît comme un vigile et comme une mémoire.

Et que dit le poète, quand nous nous éveillons, en ces espèces de phrases éclatantes ou sourdes, longues ou brèves, dures ou douces?

Il parle de la nuit, de ses remous, de ses peines et de ses lueurs... De l'homme qui est toujours premier. Exposé. Au combat, combattant ou combattu. Proche, fraternel ou ennemi..... De la terre, unie à l'homme, dans l'histoire et dans l'instant. De la terre pure, pauvre, frileuse ou chaleureuse, présente depuis l'origine..... Du temps et de sa triple division. Mais l'avenir tire toute la chaîne du temps. Il peut apparaître comme une catastrophe et prendre la forme de la tragédie, et il peut apporter la guérison si l'homme ensemence le mal dans la terre. Il brille à l'horizon comme un double soleil de mort et de vie, et colore le temps et tout ce qui s'y déploie..... De l'amour qui est rencontre et fusion autant que tension dévastatrice..... De l'enfance qui est la projection éphémère de ce qui n'est pas le temps, à la source du temps, toute imprégnée d'effluences souterraines. L'enfant est un enfant de la nuit — de cette nuit tant explorée et écoutée et grondante d'orages et de tragédies. Il recompose toutes les forces de la vie et offre, à l'homme, son propre visage, semblable et autre, comme une invitation à la vie qui viendra..... De la poésie qui fascine ses regards et sa pensée. Rien n'est plus présent que la poésie, dans ce mouvement qui va vers un terme futur. Rien n'est plus important. Ce sont des mots et des motifs, beaux et utiles. Ce sont de constantes interrogations, de difficiles discernements, de petites économies, des souffrances et des bonheurs. Ce sont ces paroles qui subliment l'histoire, la terre, les passions, la vie naissante, dans un rapport d'identité. Le temps est poésie ; la terre est poésie ; l'homme est poésie ; l'enfance est poésie. Et si le patrimoine le plus cher sombrait dans un désastre, le poème subsisterait pour dire ce que furent la terre et les hommes. On perçoit, dans ces poèmes qui ont trois siècles, un geste maternel et ancestral sans cesse repris ; on y devine comme une démarche encore plus ancienne, une expression antique et le regard des dieux.

Cependant Miron n'est pas le greffier d'un monde défunt. Aujourd'hui, il est, d'un corps et d'une âme qui ont la forme d'un peuple, le poète.

Eugène ROBERTO

1

Sentant la glaise
le sanglot
je m'avance ras
et gras, du pas
de l'escargot

à mon cou je porte
comme une amulette
un vertical néant

j'ai aussi, que j'ai
la vie comme black-out
sommeil blanc

*

C'est mon affaire
la terre et moi
flanc contre flanc

je prends sur moi
de ne pas mourir

*

13

Nous sommes dans nos cloisons
comme personne n'a d'idée là-dessus

sur un mur le corps s'imprime
les yeux se font soupiraux

les yeux voient par en-dedans
à travers la tête éparse
monter le mercure de l'usure

mais je sais qu'elle y est
la lumière au recto des murs

elle travaille pour nous

un jour les murs auront mal
et ce qui adhère

nous verrons comment c'est   dehors

*

C'est à voir
l'homme
le doigt dessus

aujourd'hui je m'avance
avec des preuves

*

Mes amis
s'il m'en reste un
je lui demande tout

*

Les mots nous regardent
ils nous demandent
de partir avec eux
jusqu'à perte de vue

*

Le monde ne vous attend plus
il a pris le large
le monde ne vous entend plus
l'avenir lui parle

1954-56

2

Fragment de la vallée

Pays de jointures et de fractures
vallée de l'Archambault
étroite comme les hanches d'une femme maigre

diamantaire clarté
les échos comme des oiseaux cachés

sur tes pentes hirsutes
la courbure séculaire des hommes
contre la face empierrée des printemps montagneux

je me défais à leur encontre
de la longue lente prostration des pères

dans l'éclair racine nocturne
le firmament se cabre et de crête en crête
va la corneille au vol balourd

émouvante voix de balise

1959

En Archambault

Cette terre dans mes épaules
cette branche qui dans ma voix bruit
c'est déjà, et encore l'hiver!
sa nuit de merveille et de misère noire dans le vent
et par le vent la trace
le miroitement

1957
Saint-Agricole

Chagrin

Le temps et l'avalanche
hiver comme un mort qui bleuit
la sainte folie
reste écrouée
dans ma face hurlante et baignante
en bruits de fleurs de givre
la vie se vide
et dans l'enclos du chagrin
les bêtes à cornes
haleine rompue repassent

En Outaouais

Terre encore, terre éprise !
— la barque de la nuit s'éloigne
dans l'aura des montagnes violettes...
et d'entre les neiges
tes os à fleur de sol
où par les friches de l'aube
tu dégaines le printemps

1973

Dans mes arpents d'yeux

Enfin je peux te regarder face à face
dans le plus végétal maintien de l'espace
terre tour à tour taciturne et tourmenteuse
terre tout à la fois en chaleur et frileuse

pour qu'un jour enfin je repose
dans ton envolée la plus basse...

1961
Sainte-Agathe-des-Monts

3

RUE SAINT-CHRISTOPHE

Je vis dans une très vieille maison où je commence
à ressembler aux meubles, à la très vieille peau des
   fauteuils
peu à peu j'ai perdu toute trace de moi sur place
le temps me tourne et retourne dans ses bancs de brume
tête davantage pluvieuse, ma très-très tête au loin

   (Étais-je ces crépitements
   d'yeux en décomposition
   étais-je ce gong du cœur
   dans l'errance de l'avenir
   ou était-ce ma mort invisible pêchant à la ligne
   dans l'horizon visible...

   cependant qu'il m'arrive encore des fois
   de plus en plus brèves et distantes
   de surgir sur le seuil de mon visage
   entre chaleur et froid)

                 1956-72

FÉLICITÉ

Félicité Angers que j'appelle, Félicité où es-tu
toi de même tu n'as pas de maison ni de chaise
tu erres, aujourd'hui, tel que moi, hors de toi
et je m'enlace à toi dans cette pose ancienne

qu'est-ce qu'on ferait, nous, avec des mots
au point où nous en sommes, Félicité, hein?

toutes les femmes, Félicité, toutes encore
rien n'a changé comme en secret tu l'appelas

1955-1965

LE VIEIL OSSIAN

Certains soirs d'hiver, lorsque, dehors, comme
        nouvellement
l'espace est emporté ici et là avec des ressacs de branches,
avec des rues, des abattis de poudrerie, puis, par moments,
avec de grands cratères de vide au bout du vent culbuté
        mort,
il fait nuit dans la neige même
les maisons voyagent chacune pour soi

et j'entends dans l'intimité de la durée
et tenant ferme les mancherons du pays
le vieil Ossian aveugle qui chante dans les radars

1965-75

26

LE CAMARADE

Camarade tu passes invisible dans la foule
ton visage disparaît dans la marée brumeuse
de ce peuple au regard épaillé sur ce qu'il voit
la tristesse a partout de beaux yeux de hublot

tu écoutes les plaintes de graffiti sur les murs
tu touches les pierres de l'innombrable solitude
tu entends battre dans l'ondulation des épaules
ce cœur lourd par la rumeur de la ville en fuite

il était un camarade anonyme
il allait au rendez-vous brumeux de la mort
tandis qu'un vent souterrain tonnait et cognait
pour des années à venir
dans les entonnoirs de l'espérance

qui donc démêlera la mort de l'avenir

1963-65

27

4

DOUBLURE D'UN COMBAT

I

A bout portant, partout et tout l'temps
pas de temps pour le beau mot, pas de temps
pour l'extase, le scintillement, le tour noble
ces jeux qui ourleraient si bien la poésie

      hara!
      hara!
      kiri
      la poésie

pas de temps, le temps est au plus mal, la vie
va vite, à chaud, à vau-l'eau, en queue d'veau
et la mort est vaste, la mort en tas menace

      pis v'lan!
      pis tapoche!
      pis couic
      la poésie

pas de temps pour le temps, le temps nous manque
faut ce qu'il faut: tirer juste, et juste à temps
à bout portant, partout et tout l'temps

1956

II

Le mal de
le mal de tête
de long
de court
de travers et à l'envers
de toutes sortes de
mais surtout de
dès ma sortie
de
ma tête de tête
en quelles verdures en quelles neiges
où était ma tête
en ces jours de
ma tête de moi
ma tête à qui ma tête à quoi
ma tête à nous peut-être

toujours est-il que de
dans l'horizontale haleine
avec ma tête effalée
puis ma tête affalée
le temps de
m'entête
et l'affaire de
dont c'est la fin des temps de
ce mal de
ce mal de tête
tête à ci tête à ça
de ci de ça
comme de
le dernier forçat de forçat

à force de
tête
de contre

1971

Triste pareil à moi il ne s'en fait plus
je regarde ce peuple qui va bientôt mourir
triste ainsi qu'il n'est plus possible
de l'être autant

personne ici ne meurt de sa belle mort
c'est un peu de nous tous en celui qui s'en va
et c'est en celui qui naît un peu de nous tous
qui devient autre

toi aussi tu seras triste un jour Humanité
mal tu auras dans les os certains siècles
le mal fantôme dans la vacance historique
de l'origine

Hommes
l'Histoire ne sera peut-être plus
retenez les noms des génocides
pour qu'en votre temps vous n'ayez pas les vôtres
hommes
il faut tuer la mort qui sur nous s'abat
et ceci appelle l'insurrection de la poésie

1956-68

5

I

Il fait un temps fou de soleil carrousel
la végétation de l'ombre partout palpitante
le jour qui promène les calèches du bonheur
le ciel est en marche sur des visages d'escale
puis le vent s'éprend au hasard d'un arbre seul
il allume tous les rêves de son feuillage

Belle vie où nos mains foisonnent je te coupe
je reçois en plein cœur tes objets qui brillent
voici des silences comme des révolvers éteints
mes yeux à midi comme des étangs tranquilles
les fleurs sont belles de la santé des femmes

Le temps mon amour le temps ramage de toi
continûment je te parle à voix de passerelles
beaucoup de gens murmurent ton nom de bouquet
je sais ainsi que tu es toujours la plus jolie
et naissante comme les beautés de chaque saison
il fait un monde heureux foulé de vols courbes

Je monte dans les échelles tirées de mes regards
je t'envoie mes couleurs vertes de forêt caravelle
il fait un temps de cheval gris qu'on ne voit plus
il fait un temps de château très tard dans la braise
il fait un temps de lune dans les sommeils lointains

1954

II

Le vent rend l'âme dans un amas d'ombre
les étoiles bourdonnent dans leurs feux d'abeilles
et l'air est doux d'un passage d'écureuil
et même si le monde assiège nos solitudes
tu es belle et belle comme des ruses de renard

Lorsque fraîche et buvant les rosées d'envol
comme un ciel défaillant tu viens t'allonger
par le vieux silence animal de la plaine
mes paumes te portent comme la mer
en un tourbillon du cœur dans le corps entier

1955-67

III

Toi qui m'aimes au hasard de toi-même
toi ma frégate nénuphar mon envolée libellule
le printemps s'épand en voiliers de paupières
voyageuse d'air léger de rêves céréales
bariolée avec tes robes aux couleurs
de perroquets bizarres
lieu d'arc-en-ciel et de blason
tempête de miel et de feu et moi
braque et balai
cœur tonnant et chevauché
par le brouhaha des sens
ta poitrine d'étincelles vertige voltige
et dans nos cambrures et nos renverses
mon corps t'enhoule
de violentes délices à tes hanches
et à grandes embardées de chevreuil de kayak

le monde bascule trinque et culbute
toi ma gigoteuse
toi ma giboyeuse

mon accotée
ma tanante de belle accotée

tes cils retiennent de vacillantes douceurs

6

SÉQUENCES DE LA BATÈCHE

Parmi les hommes dépareillés de ces temps
je marche à grands coups de tête à fusée chercheuse
avec de pleins moulins de bras sémaphore
du vide de tambour dans les jambes
et le corps emmanché d'un mal de démanche
reçois-moi orphelin bel amour de quelqu'un
monde miroir de l'inconnu qui m'habite
je traverse des jours de miettes de pain
la nuit couleur de vin dans les caves
je traverse le cercle de l'ennui perroquet
dans la ville
il fait les yeux des chiens malades

*

La batèche ma mère c'est notre vie de vie
batèche au cœur fier à tout rompre
batèche à la main inusable
batèche à la tête de braconnage dans nos montagnes
batèche de mon grand-père dans le noir analphabète
batèche de mon père rongé de veilles
batèche dans mes yeux d'enfant

*

43

Les bulles du délire les couleurs
le mutisme des bêtes dans les nœuds du bois
du chiendent d'histoire depuis deux siècles
et me voici
sortant des craques des fentes des soupiraux
ma face de suaire quitte ses traits inertes
je me dresse dans l'appel d une mémoire osseuse
j'ai mal à la mémoire car je n'ai pas de mémoire
dans la pâleur de vivre et la moire des neiges
je radote à l'envers je chambranle dans les portes
je fais peur avec ma voix les moignons de ma voix

                              *

Sainte Bénite de Sainte Bénite de batèche
Sainte Bénite de vie magannée
belle grégousse de vieille réguine de batèche

                              *

Suis-je ici
ou ailleurs ou autrefois dans mon village
je marche sur des étendues de pays voilés
m'écrit Olivier Marchand d'une brunante à l'autre
et je farouche de bord en bord
je barouette et fardoche et barouche
je vais plus loin que loin que mon haleine
je vais plus loin que la fin de l'éboulement
puis j'apparais dans une rue d'apôtre
je ne veux pas me laisser enfermer
dans les gagnages du poème, piégé fou raide
mais que le poème soit le chemin des hommes
et du peu qu'il nous reste d'être fier
laissez-moi donner la main à l'homme de peine
et amironner

                              *

Les lointains soleils carillonneurs du Haut-Abitibi
s'éloignent emmêlés d'érosions
avec un ciel de ouananiche et de fin d'automne
ô loups des forêts de Grand-Remous
votre ronde pareille à ma folie
parmi les tendres bouleaux que la lune dénonce
dans la nuit semée de montagnes en éclats
de sol tracté d'éloignement
j'erre sous la pluie soudaine et qui voyage
vie tiraillée qui grince dans les girouettes
homme croa-croa
toujours à renaître de ses clameurs découragées
sur cette maigre terre qui s'espace
les familles se désâment
et dans la douleur de nos dépossessions
temps bêcheur temps tellurique
j'en appelle aux arquebuses de l'aube
de toute ma force en bois debout

*

Cré bataclan des misères batèche
cré maudit raque de destine batèche
raque des amanchures des parlures et des sacrures
moi le raqué de partout batèche
nous les raqués de l'histoire batèche

7

Et ce fut   lorsqu'il vint
un oiseau d'éternité
qui longtemps se changea en crépuscule

qui fulgura jusqu'à l'aube
dans l'épi des éclairs nocturnes

cet oiseau   aujourd'hui
avec la mémoire venue d'ailleurs
il vole dans les pas de l'homme

derrière la herse des soleils

*

Inutile de rebrousser vie
par des chemins qui hantent les lointains
demain nous empoigne dans son rétroviseur
nous abîmant en limaille dans le futur déjà

et j'ai hâte à il y a quelques années
l'avenir est aux sources

*

(Où, quand ?)   il arrive quand même
qu'une femme émerge de sa blancheur
dans les parages de l'éternité passagère
malgré l'horizon plus bas que notre monde

le temps (lorsque) de naître
éphémère éternité

*

Par cet hiver qui exulte
dans la chasse-galerie des paroles
ici et là l'errance immobile
sur la trame de l'insu soudaine
où s'allume la lignée d'ancêtres

*

Dans le miroir d'enfance
l'horizon du futur antérieur...

l'éternité aussi a des racines
éternité (éternité)
jusque dans l'héritage demain
ma Fou de bassan des yeux

dans le temps plus nu
que la plus que pierre opaque

*

J'ai enfin rejoint mes chemins naturels
les paysages les bordant depuis l'origine

j'avance quelques mots...
quelqu'un les répète comme son propre écho

dans la floraison du songe
Emmanuelle ma fille
je te donne ce que je réapprends

1971

TABLE DES MATIÈRES

Achevé d'imprimer à Montmagny
par les travailleurs des ateliers Marquis Ltée
le dix-sept janvier mil neuf cent soixante-dix-sept